Savais-tu

Les Vautours

Savais-tu?

Les Vautours

Alain M. Bergeron
Michel Quintin
Sampar

Illustrations de Sampar

ÉDITIONS
MICHEL
QUINTIN

Données de catalogage avant publication (Canada)

Bergeron, Alain M., 1957-

Les vautours

(Savais-tu? ; 6)
Pour enfants de 7 ans et plus.

ISBN 2-89435-192-5

1. Vautours - Ouvrages pour la jeunesse.   2. Vautours
Ouvrages illustrés. I. Quintin, Michel, 1953-   . II. Sampar.
III. Titre. IV. Collection.

QL696.F3B47 2002   j598.9'2   C2002-940103-8

Révision linguistique: Maurice Poirier

Le Conseil des Arts du Canada
The Canada Council for the Arts   SODEC
Québec   Patrimoine   Canadian
canadien   Heritage

La publication de cet ouvrage a été réalisée grâce au
soutien financier du Conseil des Arts du Canada et de la
SODEC. De plus, les Éditions Michel Quintin bénéficient de
l'aide financière du gouvernement du Canada par l'entremise
du Programme d'aide au développement de l'industrie de
l'édition (PADIÉ) pour leurs activités d'édition.

Gouvernement du Québec – Programme de crédit d'impôt
pour l'édition de livres – Gestion SODEC

ISBN 2-89435-192-5
Dépôt légal - Bibliothèque nationale du Québec, 2002
Dépôt légal - Bibliothèque nationale du Canada, 2002

© Copyright 2002
Éditions Michel Quintin
C.P. 340, Waterloo (Québec)
Canada J0E 2N0
Tél.:   (450) 539-3774
Téléc.: (450) 539-4905
Courriel: mquintin@sympatico.ca

1 2 3 4 5 6 7 8 9 0 M L 6 5 4 3 2

Imprimé au Canada

Savais-tu qu'il y a 22 espèces de vautours dans le monde entier?

Savais-tu que la plupart des espèces sont des charognards? Les cadavres constituent leur principale nourriture.

Savais-tu que la grande majorité des vautours ont la
tête et le cou dénudés? Cela leur permet de fouiller

plus facilement les cadavres en y plongeant très profondément la tête et le cou.

Savais-tu que certaines espèces se nourrissent de proies vivantes : animaux lents ou handicapés, insectes, etc.?

Savais-tu que certains vautours mangent des excréments
et d'autres s'alimentent dans les dépotoirs?

Savais-tu que le vautour percnoptère d'Égypte est un des rares animaux à se servir d'outils?

Il utilise un caillou qu'il lance avec son bec pour briser les gros œufs dont il se nourrit.

Savais-tu que pour briser les os dont il se nourrit, le gypaète barbu les laisse tomber du haut des airs sur des rochers?

Savais-tu que sur une même charogne, les différentes espèces de vautours ne s'alimentent pas tous de la même façon? Le condor, par exemple, commence

à manger les carcasses à partir d'une blessure ou d'un orifice naturel.

Savais-tu que le bec du percnoptère d'Égypte n'est pas assez puissant pour percer le cuir des charognes? Il doit donc attendre l'arrivée d'une autre espèce

avant de se « mettre à table », et cela, même s'il a repéré la proie le premier.

Savais-tu que les vautours ont une vue perçante? C'est ce qui leur permet de repérer les carcasses de très loin.

Savais-tu que, quand un vautour a repéré une carcasse, il tourne en rond au-dessus? Ce comportement

alerte très vite tous les vautours des environs qui
viennent aussitôt se regrouper autour de la carcasse.

Savais-tu qu'il peut y avoir jusqu'à 60 vautours autour d'une même charogne?

Savais-tu que pendant le repas, les vautours se querellent à grands coups d'ailes, de bec et de pattes?

Savais-tu que le vol battu (mouvement actif des ailes) est extrêmement difficile pour les vautours?

Certains de ces oiseaux sont très lourds. Ils peuvent peser jusqu'à 14 kilogrammes.

Savais-tu que presque tous les vautours utilisent des courants aériens chauds pour s'élever dans les airs?

Savais-tu qu'ensuite, ils se laissent planer parfois durant des heures? Cela leur permet d'inspecter les lieux sur des kilomètres à la ronde.

Savais-tu que c'est grâce à leurs ailes
longues et larges que les vautours pratiquent
ce qu'on appelle le vol à voile (alternance de
prise d'altitude et de vol plané)?

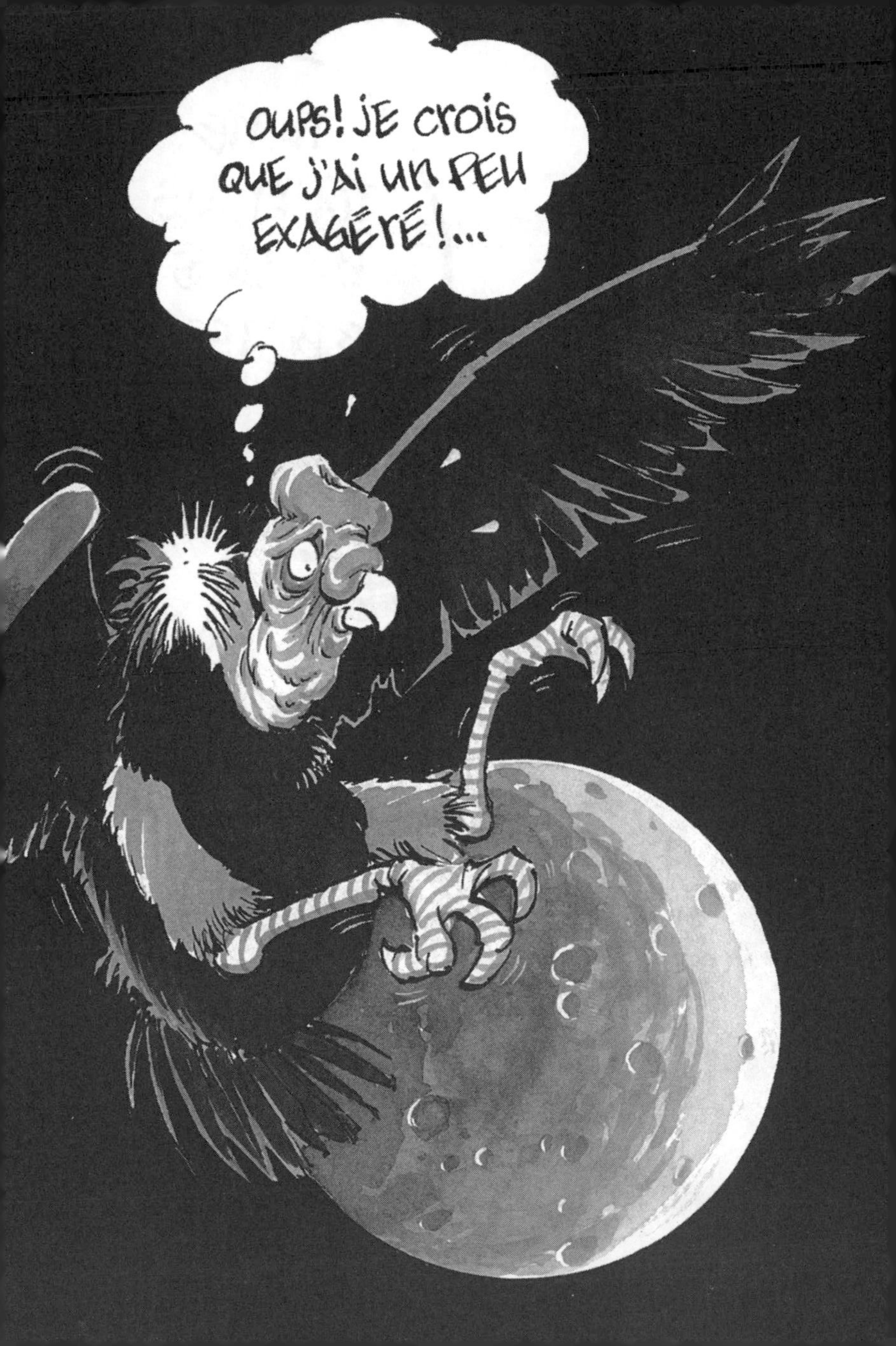
OUPS! JE CROIS QUE J'AI UN PEU EXAGÉRÉ!...

Savais-tu que les champions du vol à voile sont le condor des Andes et le condor de Californie?

Savais-tu que le condor des Andes arrive deuxième au monde avec une envergure pouvant atteindre 3,20 mètres?

Savais-tu que, monogames, beaucoup de vautours gardent le même partenaire pendant plusieurs années?

Savais-tu que certaines espèces, comme les condors, le vautour noir et le vautour fauve, forment des couples qui sont en général unis pour la vie?

Savais-tu que les vautours ont généralement un seul oisillon à la fois? Quoique certaines espèces peuvent en avoir jusqu'à trois.

Savais-tu que ce sont les deux parents qui assurent l'incubation et qui nourrissent les oisillons en leur régurgitant de la nourriture prédigérée?

Savais-tu que plusieurs espèces nichent dans des cavités ou sur des corniches rocheuses situées à flanc de falaise? Cela leur permet de planer dès le décollage.

Savais-tu que c'est parce qu'il les craignait et les haïssait que l'homme les a longtemps persécutés?

Savais-tu que le condor de Californie est l'un des oiseaux les plus menacés d'extinction au monde?

Beaucoup d'autres espèces de vautours sont
aussi protégées.

Savais-tu que, comme tous les charognards, les vautours jouent le rôle important du vidangeur?

Parce qu'ils nettoient la nature, ils empêchent ainsi la propagation de maladies ou d'épidémies.

Savais-tu que dans certaines sociétés en Asie, les vautours font partie du rite funéraire?

Ils sont chargés de dévorer les corps des personnes décédées.

Savais-tu que certaines espèces de vautours peuvent vivre de 30 à 40 ans? Un condor des Andes a vécu jusqu'à 72 ans en captivité.

La collection Savais-tu?

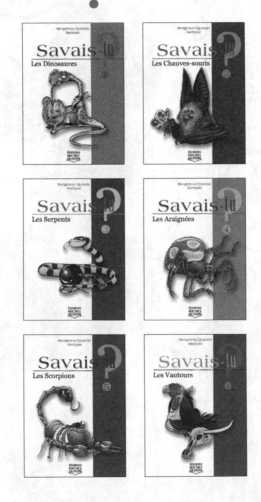